이차돈

불교를 위해 순교하다

원작 일연　글 구들　그림 방대훈　감수 최광식

신라, 천경림이라는 숲에서 요란한 악기 소리가 울려 퍼졌어요.

무당이 굿을 하는 소리였어요.

개울가에서 놀던 동네 아이들이 소리에 끌려 숲 쪽으로 가려고 하자

동네 어른이 아이들을 말리며 말했어요.

"아서라! 천경림 근처에는 가면 안 된다."

"우리 마을에 있는 숲인데 왜 가면 안 돼요?"

아이들은 눈을 동그랗게 뜨고 물었지요.

동네 어른이 낮은 목소리로 말했어요.

"천경림은 보통 숲이 아니야. 신라 귀족들이 태어난 신성한 숲이라서

우리 같은 사람들은 함부로 가면 안 돼.

특히 오늘처럼 귀족들이 굿을 하는 날에는 더욱 조심해야 한단다."

사람들이 웅성거리고 있을 때,
낯선 청년이 말을 타고 우물가로 왔어요.
연보라색 비단옷을 단정하게 차려입은 청년은
오똑한 코에 짙은 눈썹이 잘생긴 얼굴이었지요.
한눈에 봐도 귀족인 걸 알 수 있었어요.
"제가 목이 말라서 물 좀 얻어 마시려고 왔습니다."
한 아낙이 두레박에 물을 떠서 청년에게 내밀었어요.
청년은 공손하게 물을 받아 마시고는
정중하게 두레박을 돌려주었어요.
그리고는 감사의 인사를 하고 천경림으로 향했어요.
"천경림으로 가는 걸 보니 역시 귀족 청년이군."
"그러게 말이야. 그런데 다른 귀족과는 달리 무척 정중하구먼."
마을 사람들은 청년의 뒷모습을 보며 이렇게 수군거렸어요.

천경림에 도착한 청년은 말에서 내려 귀족들이 굿을 벌이는 곳으로 걸어갔어요.

**칭칭칭, 챙챙챙!
덩덩덕, 쿵덕, 쿵딱딱!**

"하늘의 자손인 신라 귀족들이 하늘에 아룁니다.
부디 저희에게 부귀영화가 가득하게 해 주시고……."
요란하게 울리는 악기 소리에 청년은 눈썹을 찌푸렸어요.
청년의 이름은 이차돈으로 신라 귀족이었지요.
신라에서는 귀족을 하늘의 자손이라고 생각했어요.
전설에 따르면 신라 귀족들이 태어난 곳이 바로 이곳 천경림이었어요.
당시 신라 사람들은 하늘과 땅은 물론 세상 모든 것에 영혼이 있으니
제물을 바치고 기도를 해야 한다고 믿었지요.
그래서 신라 귀족들은 해마다 무당을 불러 천경림에서 굿을 했는데,
귀족이라면 반드시 이 자리에 참석해야 했어요.
하지만 이차돈은 천경림에서 굿을 하는 것이 싫었어요.

이차돈은 어릴 때부터 동네 아이들과 어울려 노는 것을 좋아했어요.

하지만 이차돈의 아버지 길승은 회초리로 종아리를 때리며 이차돈을 야단쳤어요.

"우리는 신라 귀족이다. 귀족은 하늘의 자손이다.

그런데 하늘의 자손인 네가 천한 아이들과 어울리는 것은 귀족을 욕되게 하는 짓이다."

이차돈은 아버지의 말을 도무지 이해할 수가 없었어요.

"마을 아이들이나 저나 겉모습도 똑같고 다같이 귀합니다.

그런데 어찌 천함과 귀함을 나누십니까?"

그 말을 들은 아버지는 이차돈의 종아리를 더욱 세게 때렸지요.

이 일이 있은 뒤, 이차돈은 말수가 줄었어요.

귀족 아이들과도 어울리는 일 없이 언제나 책만 읽었지요.

그즈음 이차돈은 우연히 한 스님을 알게 되었어요.
이차돈은 평소에 궁금해하던 것을 스님에게 물었어요.
"스님, 정말 하늘의 자손과 천한 사람이 따로 있습니까?"
그러자 스님은 고개를 저으며 말했어요.
"사람은 누구나 평등하니 신분이나 혈통으로 차별해서는 안 됩니다.
동물 또한 사람만큼 귀한 존재입니다. 그러니 하찮은 동물일지라도
함부로 죽여서는 안 됩니다. 그것이 곧 부처님의 가르침입니다."
"사람은 누구나 똑같이 고귀한 존재라고 하셨지요. 저도 늘 그렇게 생각하고 있었습니다.
이제부터 저는 부처님의 가르침을 따르겠습니다.
그리고 부처님의 뜻을 전하는 데에 목숨을 바치겠습니다."
그날부터 이차돈은 불경*을 읽으며 부처님의 가르침을 열심히 공부했어요.

*불경 : 부처님의 가르침을 적은 책

이차돈이 불경 공부에 매달리는 것을 안 아버지가
스님이 있는 절을 찾아가 화를 내며 말했어요.
"신라를 어지럽히는 종교를 감히 내 아들에게 가르쳤단 말이오?
살고 싶다면 당장 이 나라를 떠나시오."

신라 귀족들은 불교를 싫어했어요.

불교의 가르침 중에 귀족이나 평민이나 모두 똑같은 사람이라는 내용이 있기 때문이에요.

이차돈의 아버지 길승은 큰 권력을 가졌기 때문에

만약 스님이 떠나지 않으면 큰 봉변을 당할 수도 있었어요.

스님은 어쩔 수 없이 신라를 떠나야 했어요.

떠나기 전날 밤, 스님은 이차돈에게 염주*를 주었어요.

"사람에게는 108개의 고민이 있답니다. 마음이 어지럽거나 슬플 때

이 염주알을 굴리면서 기도를 하면 마음이 편안해질 것입니다."

이차돈은 몰래 집을 빠져 나와 스님을 동구* 밖까지 배웅했어요.

떠나는 스님의 뒷모습을 바라보며 이차돈은 다짐했어요.

'불교는 훌륭한 종교다. 반드시 신라에 불교가 널리 퍼지도록 할 것이다.'

*염주 : 나무 열매나 보석 등을 꿰어 만든 것으로,
부처님에게 절을 하거나 염불을 할 때 손가락으로
한 알씩 넘기면서 사용함
*동구 : 동네 어귀

칭칭칭, 챙챙챙! 덩덩덕, 쿵덕, 쿵딱딱!

잠시 지난날을 떠올리던 이차돈은 숲에서 울려 퍼지는 요란한 악기 소리에 정신을 차렸어요.

숲에서는 굿이 한창이었어요.

그때, 살아 있는 소가 버둥거리며 끌려왔어요.

울긋불긋한 옷을 입은 무당이 마구 칼을 휘두르더니 소를 찔렀어요.

움머어.

소는 몸부림도 치지 못한 채 그대로 쓰러졌어요.

귀족들은 자신과 가족들이 부귀영화를 누리게 해 달라며 하늘을 향해 기도를 올렸어요.

그 모습을 보던 이차돈은 고개를 돌렸어요.

'하늘의 자손이라는 사람들이 어떻게 이처럼 잔인한 짓을 한단 말인가?

이것이 정말 하늘의 뜻이란 말인가? 이는 분명 잘못된 일이다!'

더 이상 참을 수 없었던 이차돈은
염불*을 외기 시작했어요.
귀족들은 깜짝 놀라
이차돈을 바라보았어요.
이차돈의 아버지 길승은 화가 나
그만 쓰러지고 말았어요.

*염불 : 부처님의 모습이나 그 공덕을 생각하면서
부처님의 이름을 외는 일

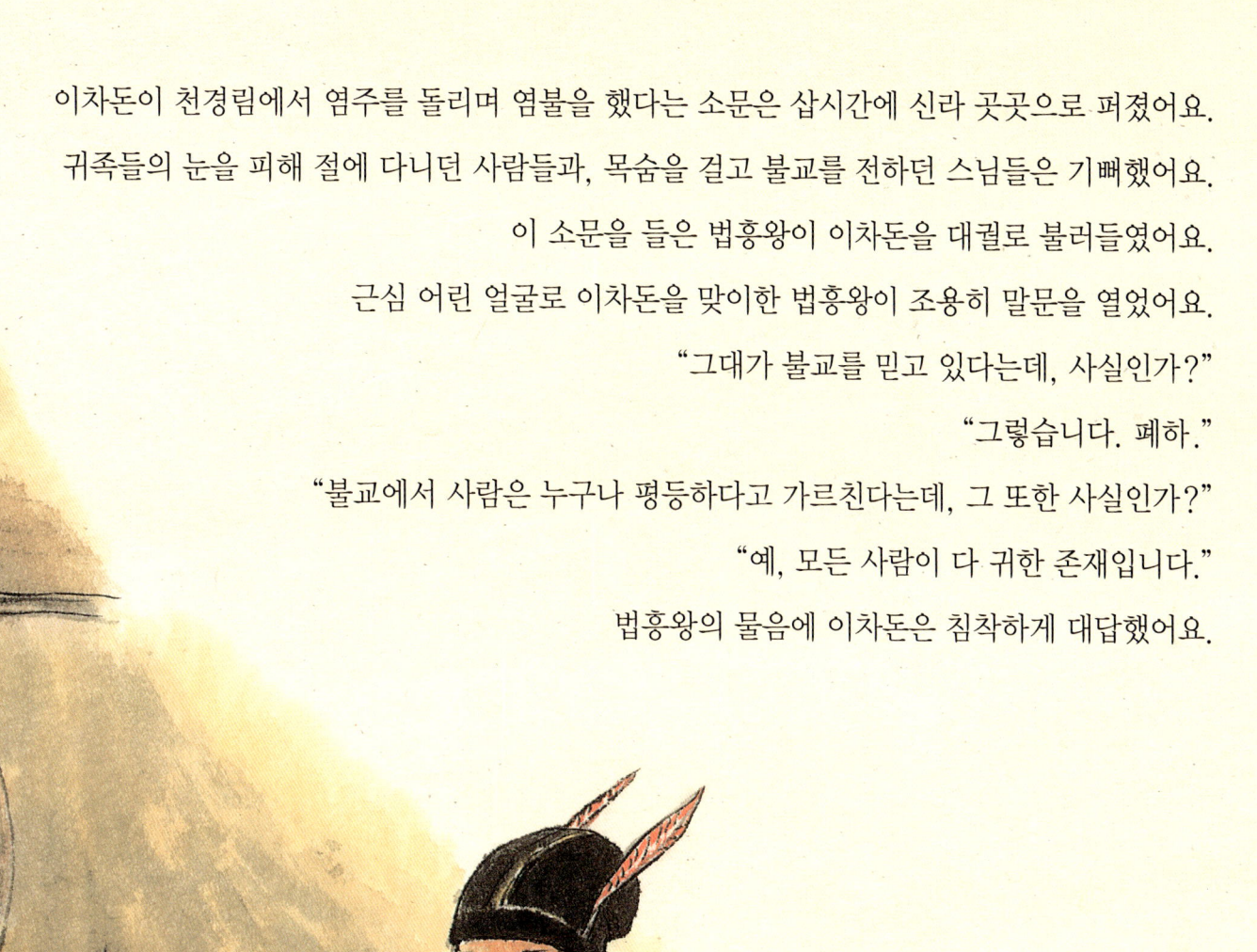

이차돈이 천경림에서 염주를 돌리며 염불을 했다는 소문은 삽시간에 신라 곳곳으로 퍼졌어요.
귀족들의 눈을 피해 절에 다니던 사람들과, 목숨을 걸고 불교를 전하던 스님들은 기뻐했어요.
이 소문을 들은 법흥왕이 이차돈을 대궐로 불러들였어요.
근심 어린 얼굴로 이차돈을 맞이한 법흥왕이 조용히 말문을 열었어요.
"그대가 불교를 믿고 있다는데, 사실인가?"
"그렇습니다. 폐하."
"불교에서 사람은 누구나 평등하다고 가르친다는데, 그 또한 사실인가?"
"예, 모든 사람이 다 귀한 존재입니다."
법흥왕의 물음에 이차돈은 침착하게 대답했어요.

법흥왕은 옷소매 안에서 염주를 꺼냈어요.

이차돈은 깜짝 놀랐어요.

법흥왕이 불교를 믿는다는 것은 생각도 못 한 일이었기 때문이지요.

"폐하께서도 불교를 믿고 계십니까?"

법흥왕은 고개를 끄덕이며 말했어요.

"자네와는 좀 다른 이유로 불교를 믿고 있네.

불교에서는 백성들이 편안하려면 왕을 중심으로 뭉쳐야 한다고 하더군."

그제서야 이차돈은 법흥왕의 마음을 알 수 있었어요.

당시 신라는 귀족들의 힘이 강한 나머지

왕이 제대로 힘을 쓸 수가 없었어요.

그러다 보니 귀족들은 왕을 무시하고 백성들을 제멋대로 괴롭혔지요.

하지만 왕은 귀족들에게 벌을 줄 수도 없었어요.

자신들이 하늘의 자손이라고 생각하는 귀족들은

왕이 조금이라도 마음에 들지 않으면

왕위에서 끌어내리거나 심지어 목숨을 빼앗았기 때문이에요.

왕과 백성이 평화롭게 살기 위해서는

반드시 귀족의 세력을 꺾어야만 했어요.

이러한 이유로 법흥왕은 불교를

나라의 종교로 만들고 싶었던 것이지요.

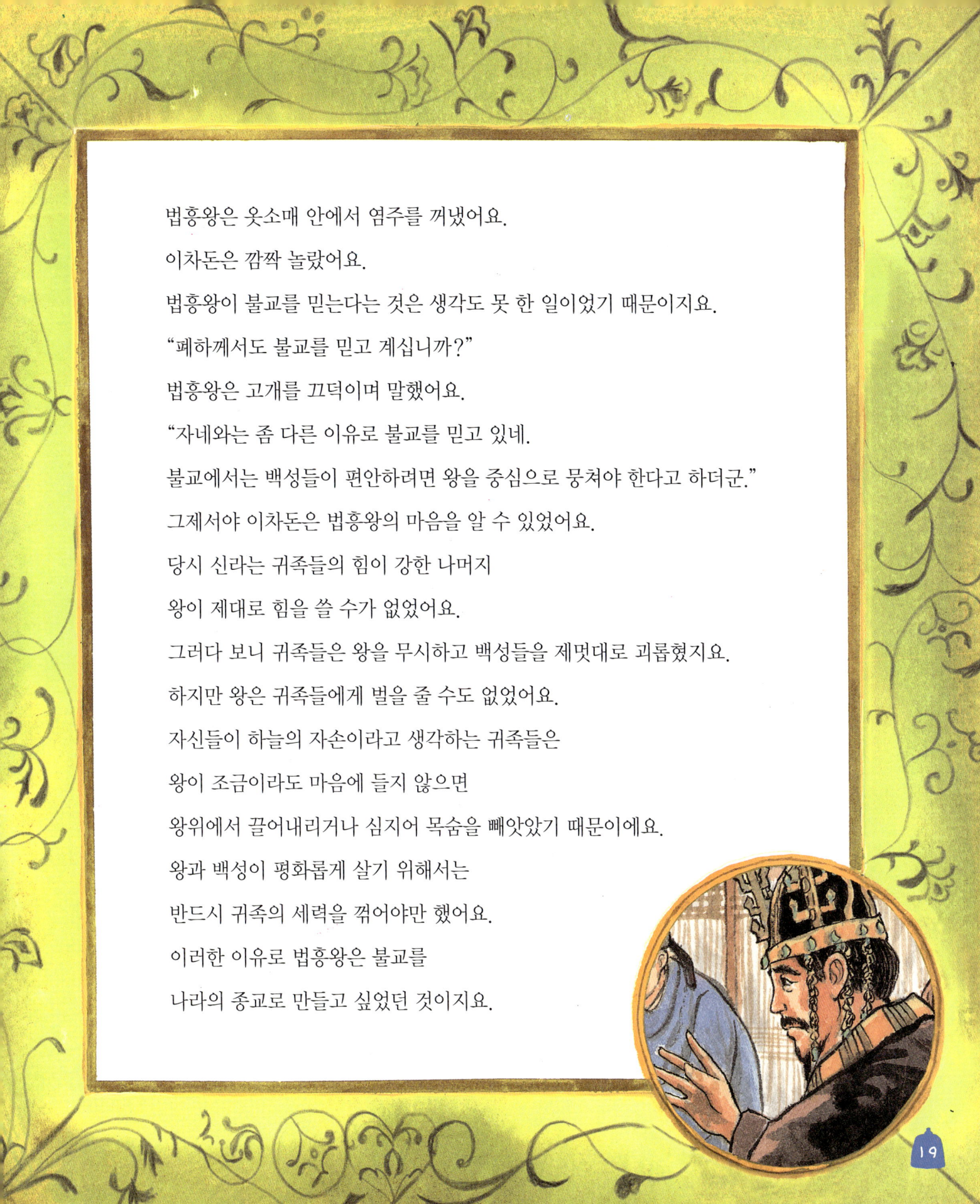

하지만 불교를 국교*로 삼는 것은 쉬운 일이 아니었어요.

귀족이었던 대신들이 거세게 반대했기 때문이에요.

"폐하! 신라에는 예로부터 전해 내려오는 종교가 있사옵니다.

어찌하여 다른 나라에서 들어온 불교를 나라의 종교로 삼으려 하십니까?"

"불교를 믿는 중들은 머리를 빡빡 깎고 이상한 옷을 입고 다니며

사람들을 속이고 있습니다. 이런 중들이 많아진다면 신라는 혼란에 빠질 것입니다."

번번이 귀족들의 반대에 부딪치던 법흥왕은 귀족의 신분으로

불교를 믿는 이차돈을 만나 몹시 반가웠어요.

*국교 : 국가에서 법으로 정하여 온 국민이 믿는 종교

법흥왕의 고민을 알게 된 이차돈은 어떻게 하면 불교를 신라의 국교로 삼을 수 있을까 고민했어요. 그때 이차돈에게 좋은 생각이 떠올랐어요.

이차돈이 법흥왕에게 자신의 뜻을 전하자 법흥왕은 깜짝 놀라며 고개를 저었어요.

"안 되오. 어찌 죄 없는 그대를 죽일 수 있겠는가?"

하지만 이차돈은 이미 마음의 준비를 한 상태였어요.

"큰 뜻을 이루기 위해 기꺼이 목숨을 바치겠습니다. 부디 저의 청을 들어주십시오."

며칠 뒤, 이차돈은 군사들을 이끌고 천경림으로 향했어요.

"폐하의 명령이다! 당장 천경림의 나무를 베어라! 이곳에 절을 지을 것이다."

이차돈의 명령이 떨어지자 군사들이 힘차게 도끼를 휘두르며 나무를 베기 시작했어요.

이 소식을 들은 귀족들은 깜짝 놀라 천경림으로 몰려갔어요.

"이보게, 자네 지금 제정신인가? 이 숲은 우리 귀족들이 신성하게 여기는 곳일세. 그런데 감히 이 숲의 나무를 베고 절을 지으려 하다니!"

이차돈은 귀족들의 목에 칼을 들이대며 말했어요.

"만약 폐하의 명령을 어긴다면 당신의 목숨은 무사하지 못할 것이오."

이차돈의 엄한 모습에 귀족들은 꼼짝도 못 한 채 천경림이 사라지는 것을
지켜볼 수밖에 없었지요.

귀족들은 몹시 화가 났지만 무턱대고 법흥왕을 죽일 수는 없었어요.

법흥왕이 미리 왕의 군대를 키워 놓았거든요.

"신라에 불교가 들어오면 귀족들은 끝장이야. 불교를 믿는 사람들은 너도 나도
하늘의 자손이라고 우길걸? 그러면 우리 귀족들의 영광은 다 끝나는 거야!"

귀족들은 법흥왕에게 몰려갔어요.
"폐하! 천경림은 하늘의 자손인 귀족들의 성지입니다.
그런데 이차돈을 시켜 그곳의 나무를 다 베어 내고
절을 지으라는 명령을 내리시다니요?"
법흥왕은 화를 내며 말했어요.
"뭣이? 천경림을 베어 내고 절을 짓다니?
나는 그런 명령을 내린 적이 없다! 내 이차돈을 가만두지 않으리라!"
법흥왕의 말을 들은 귀족들은 어리둥절했어요.
귀족들은 법흥왕과 이차돈이 한통속이라고 생각했거든요.
법흥왕은 이차돈을 잡아들이고
광장에 사형장을 만들라고 명령했어요.
이차돈은 죽음을 눈앞에 두고도 표정 하나 변하지 않았어요.
아름다운 연보라색 비단옷에 검은 모자를 단정하게 쓴 이차돈은
염주알을 굴리며 가부좌를 틀고 염불을 하기 시작했어요.
그 모습을 본 귀족들은 화가 났지요.
하지만 불교를 믿는 사람들은 깊은 감동을 받았어요.

법흥왕이 이차돈을 향해 소리를 질렀어요.

"그대는 감히 나의 명령이라 속이고 천경림을 파괴했다.

불교를 위해 나와 귀족들을 배신하다니 용서하지 않겠다."

이차돈은 당당하게 말했어요.

"오늘 저는 불교를 위해 죽습니다. 하지만 제가 죽고 나면

여러분은 불교가 위대한 종교라는 것을 알게 될 것입니다.

하늘이 그 증거를 보여 줄 것입니다."

이차돈은 마지막 순간까지 자세를 흐트러뜨리지 않았어요.

이윽고 망나니*가 칼을 들고 나타났어요.

이차돈은 두 눈을 꼭 감고 염불을 했어요.

둘러섰던 백성들도 용기를 내어 염불을 따라 외기 시작했지요.

망나니가 칼을 휘두를수록 염불 소리도 커져 갔어요.

드디어 망나니가 칼을 휘둘러 내리쳤어요.

이차돈의 목이 허공으로 날아올랐어요.

그때, 놀라운 일이 벌어졌어요.

잘려 나간 이차돈의 목에서 하얀 피가 솟구쳐 오르는 것이 아니겠어요!

그러자 하늘에서 무수히 많은 꽃송이들이 떨어지기 시작했어요.

"아아, 부처님이 나타나셨다!"

백성들은 감격하여 더욱 큰 소리로 염불을 외웠어요.

귀족들은 두려워서 벌벌 떨었지요.

*망나니 : 옛날 사형수의 목을 베던 사람

그 순간 법흥왕이 귀족들을 무섭게 노려보며 외쳤어요.
"이 광경을 보라! 하늘이 우리에게 화를 내고 계신 것이다.
나는 그대들 때문에 하늘에 큰 죄를 짓게 되었다.
그대들을 가만두지 않으리라!"
귀족들은 몸을 엎드린 채 용서를 빌었어요.

"다시는 폐하의 말씀에 반대하지 않겠습니다.
또한 앞으로는 저희가 하늘의 자손이라고 하지 않겠으니
제발 목숨만 살려 주십시오."
이후, 법흥왕은 중대한 발표를 했어요.
"이제부터 신라의 종교는 불교다. 누구든지 자유롭게 불교를 믿을 수 있다.
귀족들도 불교를 믿어야 할 것이다.
그리고 천경림의 나무를 마저 베어 내고 그곳에 이차돈을 위한 절을 지을 것이다."
그리하여 신라 백성들은 자유롭게 불교를 믿게 되었고
법흥왕은 귀족들의 방해를 받지 않고 나라를 잘 다스릴 수 있었어요.
몇 년 뒤, 귀족들의 성지이던 천경림에는 이차돈을 위한 절이 세워졌어요.
법흥왕은 그 절에서 기도를 하며 이차돈에게 깊이 고마움을 전했어요.
'그대의 죽음으로 신라는 평화로운 나라가 되었소. 그대의 마음을 잊지 않을 것이오.'
이렇게 이차돈은 기꺼이 자신의 목숨을 바쳐 나라를 구하고
신라에 불교를 널리 알린 순교자였답니다.

불교를 위해 순교한 이차돈

나라를 위해 죽으면 '순국', 직업에 따른 책임을 위해 일하다 죽으면 '순직', 종교적 신념을 위해 죽으면 '순교'라고 하지요. 이차돈은 우리나라 최초의 순교자랍니다.

이차돈은 506년에 신라의 귀족 가문에서 태어났어요. 이차돈은 신라의 왕족이었지요. 이차돈의 증조할아버지는 지증왕의 아버지인 습보갈문왕이에요. '갈문왕'은 왕의 친아버지를 부르는 말로, 조선 시대의 '대원군'과 같은 말이지요. 이차돈은 귀족 가문 출신인 데다가 총명하고 용모도 수려해서 법흥왕은 물론 다른 귀족들의 총애를 받았어요. 귀족으로서 이차돈의 앞날은 평탄했지요.

하지만 이차돈이 원한 것은 그런 것이 아니었어요. 이차돈은 차별이 없는 평등한 세상, 살아 있는 모든 생명이 존중 받는 세상을 원했어요. 이런 생각을 가진 이차돈에게는 불교야말로 바람직한 종교였던 것이지요.

그러던 어느 날, 이차돈은 법흥왕이 불교를 나라의 종교로 삼으려 한다는 것을 알게 되었어요. 그래서 몰래 법흥왕과 약속하고 귀족들이 아끼던 천경림의 나무를 모두 베고 순교합니다. 이 일을 계기로 법흥왕은 공식적으로 불교를 국교로 선포하지요. 이후 천경림 터에는 신라 최초의 절인 흥륜사가 세워졌답니다.

> 신라 사람 이차돈은 우리나라 최초의 순교자예요

기원전 57년
신라 건국

512년
우산국 정복

514년
법흥왕
신라 제23대 왕 즉위

520년
법흥왕 율령 반포

527년
이차돈 순교
불교가 신라의 국교가 됨

532년
금관가야 정복

이차돈과 관련 있는 인물들

길승

김용행이 쓴 〈아도비문〉을 보면 이차돈에 대한 이야기를 하면서 이차돈의 아버지인 길승의 이름이 짧게 나옵니다. 이차돈의 증조할아버지는 습보갈문왕이라고 알려져 있는데 다른 기록에는 흘해이사금으로도 나와 있습니다.

법흥왕 : 신라 제23대 왕

지증왕의 뒤를 이은 왕으로 왕위에 있었던 기간은 514~540년입니다. 527년에 불교를 공식적으로 인정하고 국교로 삼았습니다. 534년에는 신라 최초의 절인 흥륜사를 지었으며 말년에는 스님이 되었습니다.

알고 싶은 요모조모

불교와 토속신앙의 결합

절에 가면, 불상이 있는 대웅전뿐 아니라 하얀 수염을 기른 산신을 모신 산신각과 북두칠성신을 모신 칠성각도 볼 수 있습니다. 부처님을 믿는 불교에서 왜 이렇게 여러 신을 모시는 걸까요?

불교가 우리나라에 뿌리를 내리기 위해서는 우리나라에 있던 토속신앙과 합쳐질 필요가 있었습니다. 그래야 백성들이 불교를 좀 더 가깝게 여길 테니까요. 그래서 우리나라 불교는 토속신앙과 결합하여 나타난 것이랍니다.

660년	668년	676년	751년	828년	888년	935년
백제 정복	고구려 정복	삼국 통일 / 통일 신라 시대 시작	불국사 창건	청해진 설치	향가집 《삼대목》 편찬	신라 멸망

궁금증을 풀어 주는 미로여행

Q1 이차돈의 목에서 하얀 피가 나왔다는데, 사실일까요?

Q2 이차돈은 어떤 벼슬을 하고 있었나요?

Q3 법흥왕은 왜 귀족들이 반대하는 불교를 국교로 삼았나요?

Q4 '이차돈'이라는 이름에 특별한 뜻이 있나요?

Q5 신라에서는 왜 왕보다 귀족의 힘이 더 강했을까요?

당시 귀족들은 왕과 귀족들이 모두 신의 자손이라고 믿었어요. 그래서 왕과 귀족들은 신분의 차이가 없었지요. 귀족들보다 강한 권력이 필요했던 법흥왕은 불교를 통해 왕이 곧 부처이며, 귀족들과 평민들은 평등하다고 함으로써 절대적인 권력을 가지려고 했던 것이지요. 즉 법흥왕은 **왕권 강화**라는 목적을 이루기 위해 불교를 믿었던 것이에요.

이차돈은 '내사사인'이라는 벼슬을 하고 있었어요. 내사사인이란, 왕이나 태자를 옆에서 모시는 사람이랍니다. 오늘날로 치면 **대통령 비서실장** 정도지요. 법흥왕과 이차돈이 불교에 대해 많은 이야기를 나눌 수 있었던 것도 바로 이 때문이에요.

당시 신라에서는 불교를 인정하지 않았기 때문에 불교를 믿거나 알리다가 들키면 큰 벌을 받았어요. '차돈'은 '고슴도치'를 뜻하는데, 불교를 믿는 사람들이 숨는 모습이 마치 고슴도치와 같다고 하여 부른 이름이에요. 그러니까 '이차돈'은 **별명**쯤으로 볼 수 있지요.

우리 몸에는 림프관이라는 것이 있는데, 림프관 안에는 하얀 림프액이 들어 있어요. 그래서 피가 흐를 때 함께 나온 림프액을 보고 하얀 피라고 한 것이 아닌가 추측해요. 하지만 다른 나라의 불교설화에도 **하얀 피** 이야기가 자주 나오는 걸 보면 사실과 상관 없이 이차돈의 죽음을 신비롭게 하기 위해 꾸며낸 이야기일 가능성이 커요.

신라의 왕은 백제나 고구려의 왕과는 처지가 좀 달랐어요. 동명성왕은 졸본성을 정복해 고구려의 왕이 되었고, 온조왕도 스스로 백제를 세워 왕위에 올랐지요. 하지만 신라는 여섯 부족이 힘을 합해 나라를 세우고 **귀족회의**를 통해 왕을 뽑았기 때문에 왕이 귀족들을 통제하기란 어려운 일이었어요.